MADRID
La Plaza Mayor

Miguel Gómez Andrea "Gol"
Guión, dibujo y color
Eduardo de la Torre
Dibujo de escenarios

FUNDACION
AMIGOS DE MADRID

EDICIONES LA LIBRERÍA

PRÓLOGO

Como espacio comunal la Plaza Mayor es, sin duda alguna, el de más lenta formación: va del ejido, al mercado del arrabal, al más precioso lugar de comunicación ciudadana. Del lugar abierto a las reacciones de la Rosa de los Vientos, al

"...adornado recinto, donde el arte
te dio, entre variedad, tanta grandeza,
que al verte es imposible retratarte
ni poder delinear tanta belleza..."

Núcleo fundamental la Real Casa de la Panadería, creciendo enfrente y entorno edificios que un arquitecto –Gómez de Mora– articula y regulariza en el siglo XVII para contribuir a la expresión de la Monarquía:

"...fábrica, ser y hermoso suelo
baxaron por milagro desde el Cielo..."

En sus

"...cinco altos balcones
que a tus frentes dan tan hermosura..."

con los Reyes y Cortesanos, mientras que en las gradas de madera los madrileños contemplaron regularmente Autos de Fe y Autos Sacramentales, juegos de cañas entre caballeros –simulacros de batallas– corridas de toros en que luce la habilidad del jinete –aunque en alguna ocasión tenga que matar de un disparo al toro su majestad el Rey Felipe IV–; y a veces lugar de suplicio.

Lugar de convergencia de antiguas vías de suministros al mercado madrileño: de Castilla La Nueva; la calle de Toledo, viejos mesones, paradores de trajineros y recuas; cuando por el Este, nazca el ferrocarril, calle de Atocha de antiguo y noble abolengo campesino, el atochar, y devoto, el monasterio.

"...Los mares tributan sus pescados
las aves te remite el fino viento,
la tierra sus manjares sazonados...

siendo huertas y bosques tributarios
de bellezas yervas y de manjares varios
de las dehesas de El Pardo y Amaniel..."

Por la calle de Ciudad Rodrigo se asoma a la de Platerías, complemento obligado porque

"...viendo la variedad de mercaderes
que habitan (con sus lonjas) tus portales
para vestir los hombres y mujeres..."

Han desaparecido para "ver tus perfecciones", los "caxones" de mercaderías pero perdura su prístino carácter de lugar de comunicación ciudadana: Diciembres de mercadillos navideños y cabalgatas de Reyes Magos, pregones desde "altos balcones" en todo tiempo, como el trajín turístico, y los Domingos resucita la feria... filatélica y numismática.

José Fradejas Lebrero
Catedrático de Literatura Española

MADRID, VEINTIUNO DE ENERO DEL AÑO 2000.
¡ESTOY HARTA! NO QUIERO PASAR EL DÍA VIENDO MUSEOS.
YA, ENTONCES VAMOS A TU RITMO, ¿NO? PARA ESO ME QUEDO EN OVIEDO. SI SE VIAJA ES PARA CONOCER LUGARES DISTINTOS.
SÍ, PERO NO COMO SI QUISIERAS BATIR EL RÉCORD DE LUGARES VISITADOS EN UN DÍA.
VALE, VALE. NOS SENTAMOS EN LA TERRACITA, Y A VER PASAR EL DÍA. ¡QUÉ DIVERTIDO! ¡LARALÁ LA LA LARALALÁ!
NO ME VENGAS CON TU IRONÍA BARATA. SI QUIERES VER MUSEOS CORRIENDO, VETE Y NOS VEMOS A LA NOCHE EN EL HOTEL.
XIX RESTA
¿PUES SABES QUÉ? ¡QUE ME VOY! SÍ, QUE ME VOY Y A VER COMO TE APAÑAS.
1

¡HALA! SÍ, VETE BONITO, VETE.
QUE ME VOY DE VERDAD, ME OYES, ¡QUE ME VOY!.

¡QUÉ TE VAYAS DE UNA VEZ!

FELIPE III ¡BUF! A MI ANTEPASADA, LA TÍA SÉFORA, DEBERÍAN HABERLE HECHO UNA ESTATUA Y NO A ÉSTE.
????

GRACIAS A LA TÍA SÉFORA EXISTE ESTA PLAZA. Y GRACIAS A MÍ, QUE ME LLAMO COMO ELLA Y LO SÉ TODO SOBRE LA PLAZA MAYOR. ¿NO ME CREES?
SÍ MUJER, SÍ. SEGURO QUE LO SABE TODO.

ME DAS LA RAZÓN COMO A LAS TONTAS. BUENO NO IMPORTA, YA ESTOY ACOSTUMBRADA.

NO, DE VERDAD. SI YO LA CREO.
¿SÍ? VENGA PREGÚNTAME LO QUE QUIERAS SOBRE LA PLAZA.

NO SÉ. BUENO, ESOS DIBUJOS QUIÉN LOS PINTÓ Y QUÉ SIGNIFICAN.
JE, JE. HAS QUERIDO PILLARME PERO YO LO SÉ TODO SOBRE LA PLAZA MAYOR.
2

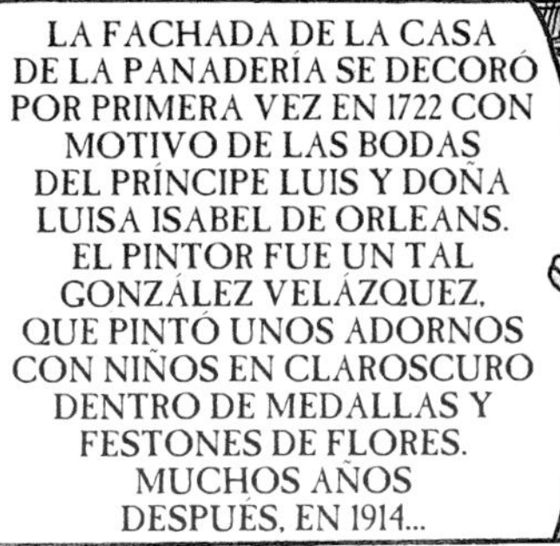
LA FACHADA DE LA CASA DE LA PANADERÍA SE DECORÓ POR PRIMERA VEZ EN 1722 CON MOTIVO DE LAS BODAS DEL PRÍNCIPE LUIS Y DOÑA LUISA ISABEL DE ORLEANS. EL PINTOR FUE UN TAL GONZÁLEZ VELÁZQUEZ, QUE PINTÓ UNOS ADORNOS CON NIÑOS EN CLAROSCURO DENTRO DE MEDALLAS Y FESTONES DE FLORES. MUCHOS AÑOS DESPUÉS, EN 1914...

...FUE EL PINTOR DECORADOR Y CERAMISTA ENRIQUE GUIJO EL QUE LA DECORÓ CON MAGNÍFICOS DIBUJOS.
AL SER FACHADA SUR, EL SOL SE COME LA PINTURA Y ÉSTAS DIFÍCILMENTE DURAN MÁS DE TREINTA O CUARENTA AÑOS. POR ESO EN 1992 HUBO QUE PINTARLAS DE NUEVO. EN ESTA OCASIÓN EL ARTISTA FUE CARLOS FRANCO, ELEGIDO POR CONCURSO PÚBLICO. CARLOS FRANCO SE BASÓ EN LOS ORÍGENES SOCIOCULTURALES Y GEOGRÁFICOS DE LA PLAZA PARA ESCOGER SU TEMÁTICA, Y PARA REPRESENTARLA SE APOYÓ EN ELEMENTOS DE LA MITOLOGÍA GRECOLATINA. MIRA, ÉSE ES UN TORERO O PERSONAJE DEL SIGLO XVIII QUE REMEMORA EL MOTÍN DE ESQUILACHE, Y EL OTRO ES UN QUERUBÍN PANADERO. ③

ÉSA ES LA NINFA LAGUNILLA QUE RECUERDA A LA LAGUNA DE LUJÁN Y AL LADO TIENES AL FAUNO ACUÁTICO QUE REPRESENTA LA ABUNDANCIA Y BONDAD DE LAS AGUAS DE MADRID Y SUS SABROSOS FRUTOS.

AHÍ ESTÁ LA CIBELES. Y MÁS ALLÁ LOS MADRILEÑOS SUBIENDO Y BAJANDO CON FACILIDAD A LAS TORRES, LO QUE LES VALIÓ EL SOBRENOMBRE ...

...DE GATOS.
VALE, VALE. ES IMPRESIONANTE SÍ, PERO YO TENGO QUE IRME.
¿Y DÓNDE VAS A IR HIJA? ¿CON TU NOVIO? DÉJALE QUE YA VOLVERÁ. NO TIENES NADA QUE HACER Y LO SABES. ¿QUÉ PUEDES PERDER POR ESCUCHAR A UNA VIEJA ACABADA?

NO DIGA ESO.
ES ASÍ HIJA. MI TIEMPO SE TERMINA Y EL TUYO COMIENZA. NO LO MALGASTES.
LA VERDAD ES QUE NO SÉ QUE HACER.

COGE TU OPORTUNIDAD AL VUELO Y ESCUCHA LA HISTORIA DE LA TÍA SÉFORA Y SU PLAZA MAYOR, EL CORAZÓN Y ALMA DE MADRID.
NO DIRÍA YO TANTO, QUE SE LA VE ALGO MATADA.

HA PERDIDO CARÁCTER. SÍ, PERO EL TIEMPO ES ASÍ, NOS CAMBIA A MEJOR O A PEOR SEGÚN SU CAPRICHO.

ESTA PLAZA HA SIDO ESCENARIO DE TODAS LAS GRANDEZAS Y MISERIAS HUMANAS.
AQUÍ SE HAN CELEBRADO LAS FIESTAS MÁS DESLUMBRANTES, MARAVILLA DE MADRID Y DEL MUNDO ENTERO.

PERO TAMBIÉN SE HAN ESCRITO HORRIBLES TRAGEDIAS CON SANGRE. Y ENTRE ESOS DOS EXTREMOS HAY CIENTOS DE DÍAS DE BULLICIO, VIDA, MERCADO, AMOR, PASIÓN, TEDIO, MEDIOCRIDAD, GENIALIDAD...
...TODO, TODO...
¿NO CREE QUE EXAGERA UN POCO?

DÉJAME QUE EMPIECE DESDE EL PRINCIPIO. CUENTAN QUE DURANTE LA MAYOR PARTE DE LA EDAD MEDIA ÉSTE FUE UN LUGAR QUE EN ÉPOCAS LLUVIOSA SE CONVERTÍA EN UNA LAGUNA. LA LAGUNA DE LUJÁN, POR ESTAR EN TIERRAS DE FRANCISCO LUJÁN, EL DEL ARRABAL, PARA DISTINGUIRLE DE SUS PARIENTES DE LA VILLA. AL SECARSE LAS AGUAS QUEDÓ UNA GRAN EXPLANADA, A EXTRAMUROS DE LA CIUDAD, RODEADA DE CASA MISERABLES PERO CON CONDICIONES PARA CREAR UNA PLAZA. COMENZABA EL SIGLO XV Y EL REY JUAN II ERA AFICIONADO A RESIDIR LARGAS TEMPORADAS EN MADRID. LA PRESENCIA DE LA CORTE ACARREABA MOVIMIENTO DE DINEROS Y PERSONAL.

5

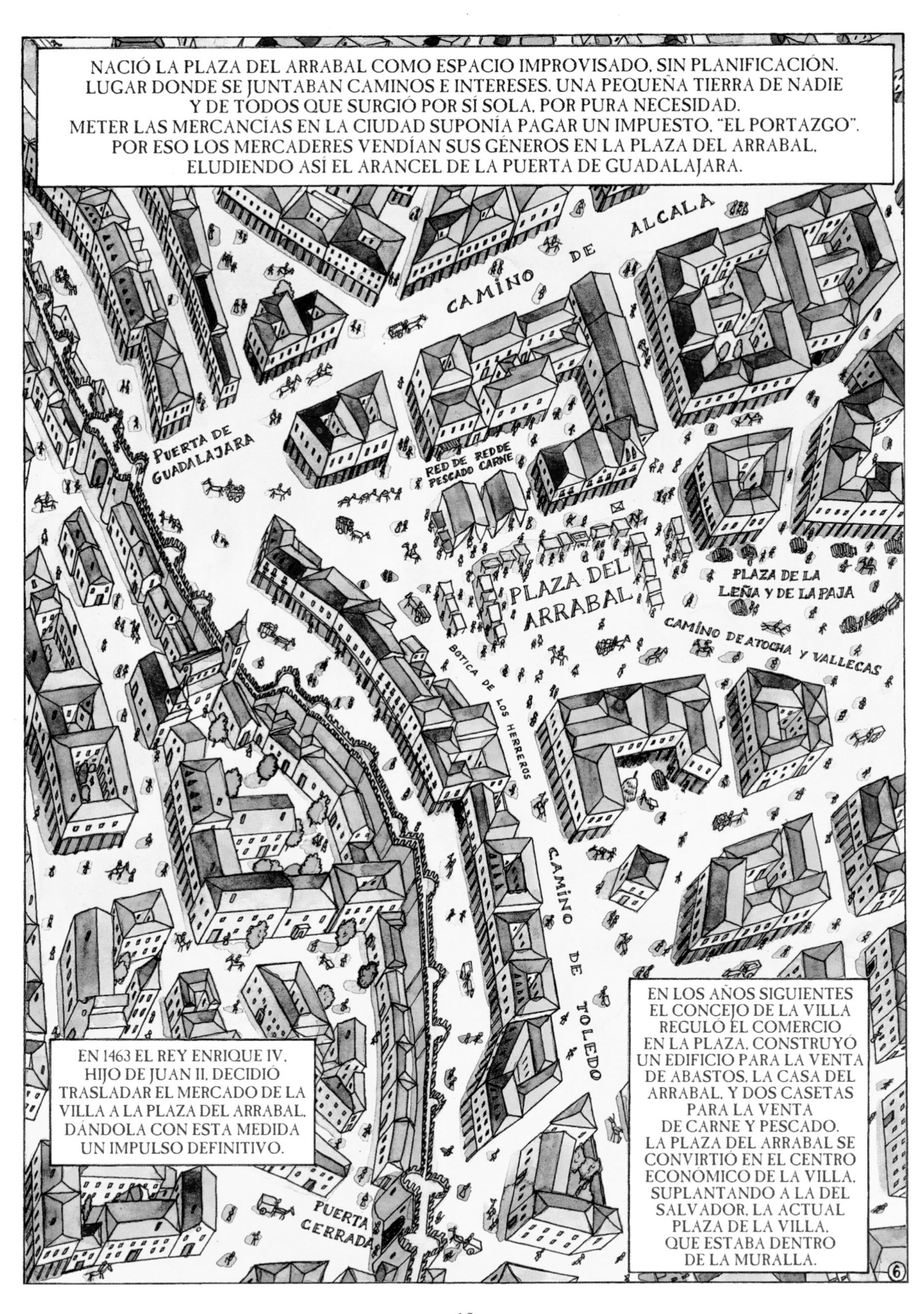
NACIÓ LA PLAZA DEL ARRABAL COMO ESPACIO IMPROVISADO, SIN PLANIFICACIÓN. LUGAR DONDE SE JUNTABAN CAMINOS E INTERESES. UNA PEQUEÑA TIERRA DE NADIE Y DE TODOS QUE SURGIÓ POR SÍ SOLA, POR PURA NECESIDAD. METER LAS MERCANCÍAS EN LA CIUDAD SUPONÍA PAGAR UN IMPUESTO, "EL PORTAZGO". POR ESO LOS MERCADERES VENDÍAN SUS GÉNEROS EN LA PLAZA DEL ARRABAL, ELUDIENDO ASÍ EL ARANCEL DE LA PUERTA DE GUADALAJARA.
CAMINO DE ALCALA
PUERTA DE GUADALAJARA
RED DE PESCADO
RED DE CARNE
PLAZA DEL ARRABAL
PLAZA DE LA LEÑA Y DE LA PAJA
CAMINO DE ATOCHA Y VALLECAS
BOTICA DE LOS HERREROS
CAMINO DE TOLEDO
EN 1463 EL REY ENRIQUE IV, HIJO DE JUAN II, DECIDIÓ TRASLADAR EL MERCADO DE LA VILLA A LA PLAZA DEL ARRABAL, DÁNDOLA CON ESTA MEDIDA UN IMPULSO DEFINITIVO.
PUERTA CERRADA
EN LOS AÑOS SIGUIENTES EL CONCEJO DE LA VILLA REGULÓ EL COMERCIO EN LA PLAZA, CONSTRUYÓ UN EDIFICIO PARA LA VENTA DE ABASTOS, LA CASA DEL ARRABAL, Y DOS CASETAS PARA LA VENTA DE CARNE Y PESCADO. LA PLAZA DEL ARRABAL SE CONVIRTIÓ EN EL CENTRO ECONÓMICO DE LA VILLA, SUPLANTANDO A LA DEL SALVADOR, LA ACTUAL PLAZA DE LA VILLA, QUE ESTABA DENTRO DE LA MURALLA.
6

CON ESTA CASA
DE LA PANADERÍA TERMINADA
ESTA PLAZA DEJA DE SER
DEL ARRABAL PARA MERECER
EL NOMBRE DE MAYOR.

VAMOS HERRERA, HACE MÁS DE CUARENTA AÑOS QUE TODO EL MUNDO LA LLAMA PLAZA MAYOR. ESTAMOS ACABANDO EL SIGLO XVI Y EL MERCADO RECLAMABA UNA CASA COMO ÉSTA HACE TIEMPO. AHÍ DENTRO SE CONTRATARÁ Y REGULARÁ EL COMERCIO DE LOS CEREALES. SE ALQUILARÁN LOS PISOS RESTANTES Y LOS REYES TENDRÁN UN PALCO DIGNO EN LOS BALCONES DE LA PRIMERA PLANTA PARA VER LOS ESPECTÁCULOS Y SOLEMNIDADES.

LA CASA DE LA PANADERÍA, LA DE LA CARNICERÍA ENFRENTE, EL PESO REAL Y LA ORDENANZA QUE OBLIGA A VENDER EL VINO AL POR MAYOR SÓLO EN ESTA PLAZA. REALMENTE SE CONCENTRAN AQUÍ CASI TODOS LOS COMERCIANTES DE LA VILLA.

Y TANTO, QUE NI SIQUIERA LA IGLESIA HA ABIERTO CAPILLA NI TEMPLO EN LA PLAZA.
COSA HARTO SORPRENDENTE ¡VIVE DIOS! PORQUE EN MADRID NO SE PUEDE DAR UN PASO SIN TOPARTE CON LA IGLESIA.

EXCUSADME SEÑOR.
¿POR VENTURA SOIS EL MAESTRO DIEGO SILLERO, AUTOR DE ESTA FANTÁSTICA CASA DE LA PANADERÍA?

NO HICE LA CASA SOLO, ME ADULÁIS INMERECIDAMENTE SEÑOR...
SOY EL DOCTOR CRISTÓBAL PÉREZ DE HERRERA Y...

...ESTOY ENCANTADO CON LAS MEJORAS DE LA PLAZA MAYOR, SEÑORES. CUANDO SE APLIQUE LA ORDENANZA MUNICIPAL Y TODOS ESOS PILARES DE MADERA DE LOS SOPORTALES SEAN SUSTITUIDOS POR OTROS DE PIEDRA, LA PLAZA EMPEZARÁ A TENER UN ASPECTO DIGNO, SEÑORES. INCLUSO ME HE PERMITIDO ESCRIBIR A SU MAJESTAD EL REY FELIPE III, ...
...RECOMENDÁNDOLE QUE TODOS LOS VECINOS DE LA PLAZA Y CALLES ALEDAÑAS LABREN SUS FACHADAS DE LA MISMA MANERA, SIGUIENDO EL MODELO DE...

...VUESTRA CASA DE LA PANADERÍA.
ES UN HONOR EXCESIVO, DOCTOR. PERO ¿NO CREEIS QUE QUEDARÁ TODO MUY IGUAL? ¿QUE SE PERDERÁ RIQUEZA?
¡UNIFORMIDAD MAESTRO SILLERO! ¡UNIFORMIDAD! HAY QUE BUSCAR LA UNIFORMIDAD PARA EL ORNATO Y BUEN ORDEN DE LA VILLA. NO OLVIDEMOS QUE MADRID ES LA CAPITAL DEL IMPERIO, SEÑORES.

A PRINCIPIOS DEL SIGLO XVII MI ANTEPASADA SÉFORA YA VIVÍA EN LA PLAZA MAYOR. SE BUSCABA LA VIDA DE VENDEDORA EN EL MERCADO Y PARA SOBREVIVIR SE HABÍA JUNTADO CON UN ARRIERO MUSULMÁN DE MÓSTOLES QUE TUVO QUE CONVERTIRSE PARA NO SER DESTERRADO EN 1609, CUANDO LA ÚLTIMA EXPULSIÓN DE MORISCOS DE ESPAÑA.

VIVÍAN EN UN CUARTUCHO DONDE HOY SE ABRE LA CALLE DE CIUDAD RODRIGO.

¡PADRE FERRER! ¡GRACIAS A DIOS QUE HA VENIDO! EL NIÑO NO MEJORA...

SIGAMOS REZANDO HIJA. EL SEÑOR ACABARÁ POR OÍRNOS.

¿SERÁN SUFICIENTES ESTAS MONEDAS PARA DECIR UNA MISA POR EL NIÑO? ES POCO, LO SÉ, PERO... ¡SU PADRE ERA MUSULMÁN, POR ESO ME CASTIGA DIOS!
NO TE AFLIJAS HIJA.

ESTAMOS EN MANOS DE DIOS. YO DIRÉ UNA MISA POR LA CURACIÓN DE TU HIJO.
¡SÉFORA! ¡SÉFORA! NOS PERSIGUE LA MALA SUERTE. NOS DERRIBAN LA CASA. VAN A ABRIR UNA CALLE NUEVA PARA QUE LA COMITIVA REAL ATRAVIESE...

...LA PLAZA CUANDO VAN A LA IGLESIA DE ATOCHA, EN VEZ DE RODEAR POR SOL Y CARRETAS.
NUNCA DEBÍ CASARME CON UN MUSULMÁN.
BUENO HIJOS, YO ME VOY.

¡ESTHER!
¿HASTA CUÁNDO VAS A ESTAR HACIÉNDOTE LA INTERESANTE? LLEVO UNA HORA ESPERÁNDOTE.

AH, PERO... ¿NO TE HABÍAS IDO?

DÉJATE DE TONTERÍAS Y VÁMONOS QUE VAMOS A PERDER TODO EL DÍA.
YO NO VOY A NINGÚN LADO. LA SEÑORA SÉFORA ME ESTÁ CONTANDO...

¿ESA VIEJA? ¿TE HAS VUELTO LOCA?
¡EH, CABALLERITO! UN POCO DE RESPETO, QUE YO NO TE LLAMO CAPULLO AUNQUE LO SEAS.

¡ADIÓS!

AHORA ENTRA EN NUESTRA HISTORIA EL DE LA ESTATUA, SU MAJESTAD FELIPE III.

EL PRIMER REY NACIDO EN MADRID.
INDOLENTE, BLANDO DE CARÁCTER Y POCO AMIGO DEL TRABAJO, DELEGABA LAS FUNCIONES DE GOBIERNO EN SU VALIDO EL DUQUE DE LERMA.
ESTE PÁJARO SE LLEVÓ LA CORTE A VALLADOLID.
YA PUEDES IMAGINAR EL PERJUICIO QUE ESO LE SUPUSO A MADRID. EL CONCEJO DE LA VILLA DETERMINÓ PAGAR DOSCIENTOS CINCUENTA MIL DUCADOS, UNA BUENA CIFRA, PARA LA VUELTA DE LA CAPITALIDAD A LA VILLA.
LO CONSIGUIERON EN 1606, DESPUÉS DE CINCO AÑOS.
UNA VEZ DEFINITIVAMENTE ASENTADA LA CORTE EN MADRID, SU MAJESTAD DECIDIÓ FIJARSE EN SU CAPITAL Y ADECENTARLA UN POCO.

10

EL ARQUITECTO JUAN GÓMEZ DE MORA.
¡MAJESTAD!

ESTÁ BIEN MAESE, CONTADME.

HE ESTUDIADO A FONDO LA PLAZA, MAJESTAD. UNO DE LOS PRINCIPALES OBSTÁCULOS SERÁ EL DE ALLANAR EL TERRENO PARA CUBRIR EL FUERTE DESNIVEL QUE HAY HACIA LA CALLE DE TOLEDO.
DERRIBANDO LA MANZANA DE LA CAVA DE SAN MIGUEL Y CONSTRUYENDO UN EDIFICIO DE FUERTES CIMIENTOS QUE SIRVA DE CONTENCIÓN PODREMOS SOLUCIONAR EL PROBLEMA, AL TIEMPO QUE CUADRAMOS LA PLAZA ELIMINANDO EL ÁNGULO OBLICUO IZQUIERDO QUE HACE LA CAVA...

DEJAD LOS DETALLES. ME ABURREN. YA SABÉIS LO QUE QUEREMOS. UNA PLAZA DIGNA DEL CORAZÓN DE LA MONARQUÍA UNIVERSAL. UN LUGAR DONDE PUEDAN CELEBRARSE CON EL DEBIDO ESPLENDOR LAS FIESTAS QUE EXIGE LA POMPA DE LA CORTE, Y UN MERCADO LIMPIO Y ORDENADO PARA NUESTROS SÚBDITOS. ACTUALMENTE LA PLAZA ESTÁ SUCIA Y DESCUIDADA.
EL PROYECTO PRETENDE AJUSTARSE AL MODELO DE LA CASA DE LA PANADERÍA PARA DARLE UNIFORMIDAD A LA PLAZA.
UNIFORMIDAD, SÍ, ESO ME GUSTA.
11

HAREMOS CASAS DE CINCO PISOS QUE SOBRESALDRÁN SOBRE EL RESTO DEL CASERÍO MADRILEÑO Y QUE CONFÍO AYUDARÁN A RESOLVER EL PROBLEMA DEL ALOJAMIENTO EN MADRID, PUES TENDREMOS MUCHAS VIVIENDAS NUEVAS.

¿Y CUÁNTO COSTARÁ ESO?
EN TORNO AL MILLÓN DE DUCADOS, MAJESTAD.
UNA HERMOSA CANTIDAD, SÍ. YA QUE SERÁ UNA PLAZA POPULAR, LO JUSTO SERÁ QUE LA PAGUE EL PUEBLO.

¿NO OS PARECE?
CIERTAMENTE MAJESTAD.

LA PLAZA DISFRUTA DEL MONOPOLIO DE LA VENTA DE VINO AL POR MAYOR. ORDENAMOS QUE LAS SISAS QUE GRAVAN SU COMERCIO SE DESTINEN ÍNTEGRAMENTE A LAS OBRAS. ASÍ TODO QUEDARÁ EN CASA, O MEJOR... EN PLAZA. JA, JA, JA...

YA VES, LA PLAZA MAYOR NO FUE CONCEBIDA PARA EL USO Y DISFRUTE PRIVADO DE GENTE CON FORTUNA. TUVO DESDE SU ORIGEN UN SENTIDO POPULAR...

PUES AUNQUE AQUÍ SE DESARROLLARON LOS ESPECTÁCULOS DE LA MONARQUÍA, HAY QUE RECONOCER QUE LOS DISFRUTABA TODO MADRID.
12

PARECÉIS UN BRUJO MAESE GÓMEZ. DIRÍASE QUE FUE AYER CUANDO OS ENCARGARON LA CONSTRUCCIÓN DE LA NUEVA PLAZA Y YA HABÉIS HECHO LOS DERRIBOS Y NIVELADO EL SUELO.
AGUA DE RICA ALOXA

QUEDA MUCHO POR HACER DON PEDRO. AÚN NO SÉ SI EL ESPACIO QUE HEMOS ABIERTO SERÁ SUFICIENTE. HE SUGERIDO A SU MAJESTAD QUE HAGAMOS UNA CORRIDA DE TOROS PARA VER QUE TAL SE DESENVUELVE.
ALOXA

UNA MEDIDA ACERTADA, SÍ SEÑOR. TENDREMOS UNA PLAZA BIEN GRANDE. YA IBA SIENDO HORA, PUES HAY QUE RECONOCER QUE MADRID ES LA CAPITAL EUROPEA QUE MENOS MONUMENTOS PÚBLICOS TIENE, LO CUAL NO DEJA DE SER CHOCANTE, SIENDO ESPAÑA EL IMPERIO MÁS PODEROSO DEL MUNDO.
SOBRE ESO HAY MUCHO QUE DECIR, AMIGO MÍO.

SÉFORA, SÉFORA. NO TE AFLIJAS. ASÍ LO HA QUERIDO DIOS.
¡MI NIÑO!
EL PADRE FERRER ESTÁ HACIENDO UNA COLECTA PARA PODER DECIR UNAS MISAS POR SU ALMA.

¡BENDITO PADRE FERRER!
13

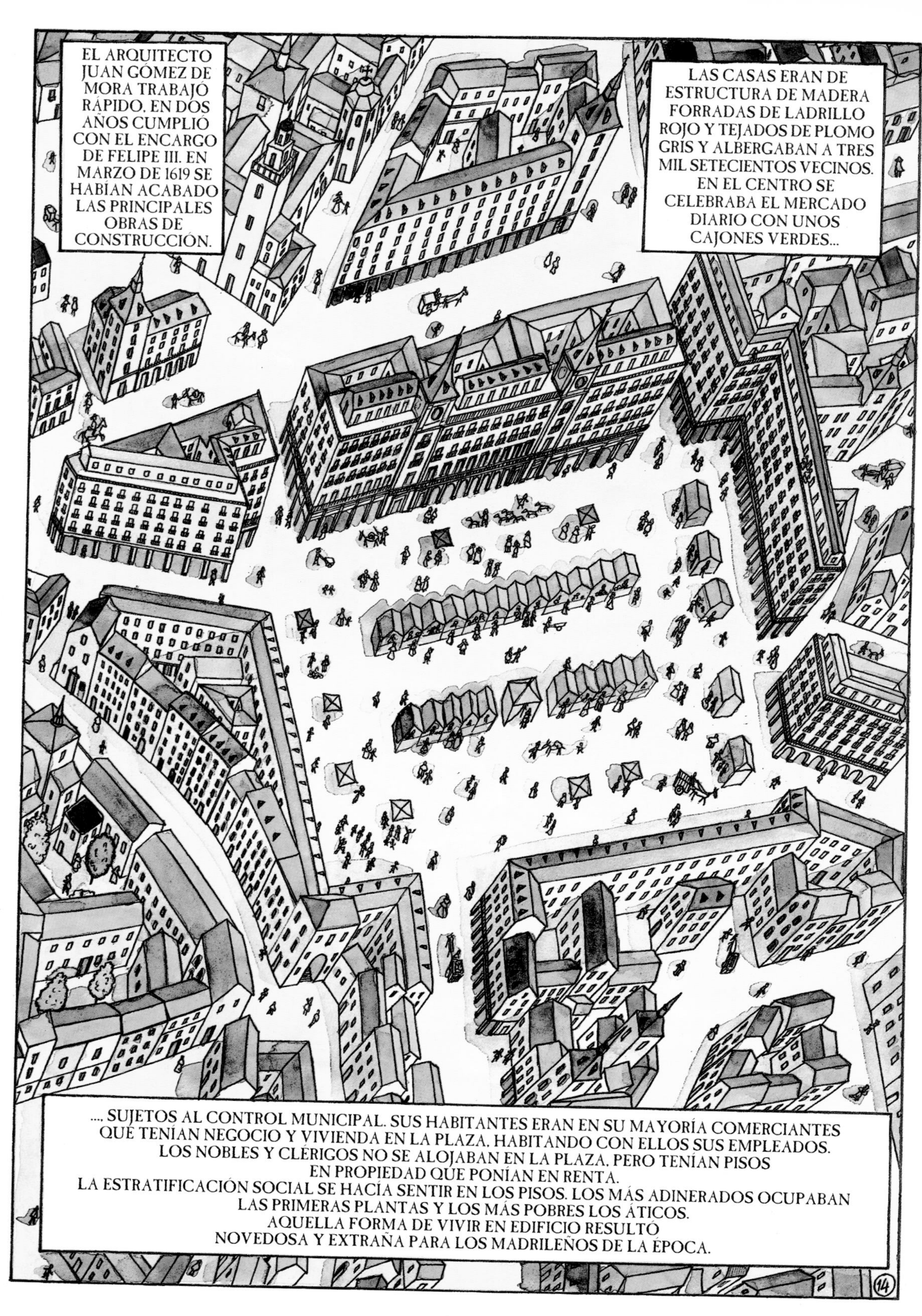
EL ARQUITECTO JUAN GÓMEZ DE MORA TRABAJÓ RÁPIDO, EN DOS AÑOS CUMPLIÓ CON EL ENCARGO DE FELIPE III. EN MARZO DE 1619 SE HABÍAN ACABADO LAS PRINCIPALES OBRAS DE CONSTRUCCIÓN.
LAS CASAS ERAN DE ESTRUCTURA DE MADERA FORRADAS DE LADRILLO ROJO Y TEJADOS DE PLOMO GRIS Y ALBERGABAN A TRES MIL SETECIENTOS VECINOS. EN EL CENTRO SE CELEBRABA EL MERCADO DIARIO CON UNOS CAJONES VERDES...
..., SUJETOS AL CONTROL MUNICIPAL. SUS HABITANTES ERAN EN SU MAYORÍA COMERCIANTES QUE TENÍAN NEGOCIO Y VIVIENDA EN LA PLAZA, HABITANDO CON ELLOS SUS EMPLEADOS. LOS NOBLES Y CLÉRIGOS NO SE ALOJABAN EN LA PLAZA, PERO TENÍAN PISOS EN PROPIEDAD QUE PONÍAN EN RENTA.
LA ESTRATIFICACIÓN SOCIAL SE HACÍA SENTIR EN LOS PISOS. LOS MÁS ADINERADOS OCUPABAN LAS PRIMERAS PLANTAS Y LOS MÁS POBRES LOS ÁTICOS.
AQUELLA FORMA DE VIVIR EN EDIFICIO RESULTÓ NOVEDOSA Y EXTRAÑA PARA LOS MADRILEÑOS DE LA ÉPOCA.
14

¡BUEN DÍA! ¿VIVE AQUÍ SÉFORA, LA MUJER DEL ARRIERO?
AQUÍ NO, PREGUNTA MÁS ARRIBA.

¡PFF!

PUES NO SÉ, SOMOS NUEVOS. PREGUNTA MÁS ARRIBA.
¡PFF!
¡PFF!

¡PF!
¡PF!
¡PF!

NO, AQUÍ NO VIVE. NO SÉ DECIRTE.

SÉFORA, POR FIN. PERO ¿QUÉ CASA ES ÉSTA EN LA QUE NADIE CONOCE A NADIE A PESAR DE VIVIR PUERTA CON PUERTA?

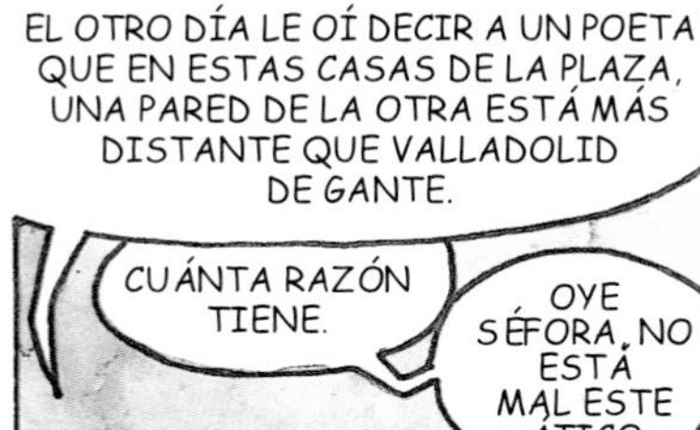

EL OTRO DÍA LE OÍ DECIR A UN POETA QUE EN ESTAS CASAS DE LA PLAZA, UNA PARED DE LA OTRA ESTÁ MÁS DISTANTE QUE VALLADOLID DE GANTE.

CUÁNTA RAZÓN TIENE.
OYE SÉFORA, NO ESTÁ MAL ESTE ÁTICO

SÍ, PERO HAY QUE SUBIR MUCHOS PISOS Y ESO QUE YO ENTRO POR LA PLAZA, PUES LOS QUE ENTRAN POR LA CAVA HAN DE SUBIR DOS PISOS MÁS.
NO TE QUEJES, QUE NOS HAN DEJADO UNA PLAZA CASI NUEVA.
15

ES QUE LO HAN ORDENADO TODO. EN LA ACERA DE LA PANADERÍA, LAS VENTAS DE SEDAS E HILOS. EN LA DE LA CARNICERÍA, LOS CÁÑAMOS Y CERAS. EN LA ACERA DEL ESTE LOS QUINCALLEROS, MANTEROS Y ZAPATEROS Y EN LA ACERA DE ...

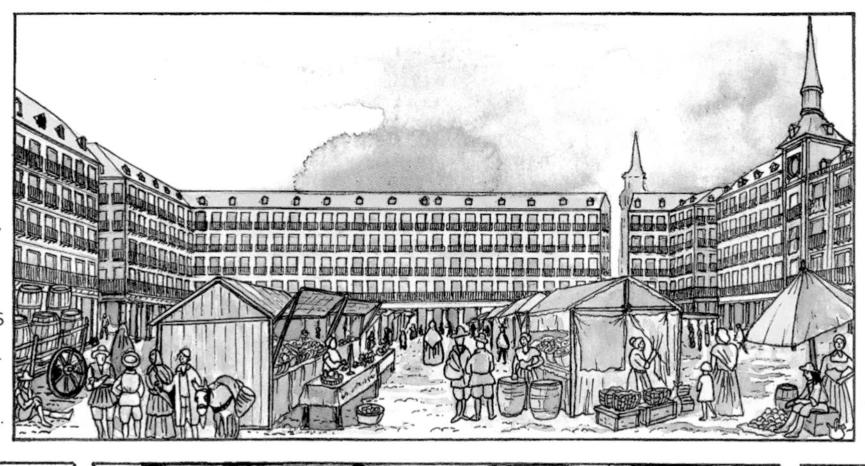

...LA CALLE NUEVA A LA DE TOLEDO, LOS PAÑOS. Y LUEGO ESO DEL "REPESO" PARA OBLIGAR A CONTROLAR LA EXACTITUD DE LAS MEDIDAS DE LOS COMERCIANTES, ESTÁ MUY BIEN PENSADO. QUE HAY MUCHO TUNO SUELTO.

¡FRANCISCA! TÚ NO HAS VENIDO A MI CASA PARA CONTARME ESAS TONTERÍAS.

AY SÉFORA, NO SE TE PUEDE OCULTAR NADA. ME HE ENTERADO DE ALGO TERRIBLE.
CUENTA.

PUES RESULTA QUE EL PADRE FERRER NO ES CURA. ES UN CÓMICO DE ÁVILA QUE SE HACÍA PASAR POR SACERDOTE. LO HA DESCUBIERTO UN ANTIGUO COMPAÑERO SUYO.

¡AY LA VIRGEN!
MI NIÑO MUERTO. ¿CÓMO ME IBA A ESCUCHAR DIOS A TRAVÉS DE UN FALSO CURA?
YO LO MATO.
LE ARRANCO LAS ENTRAÑAS,
LE ROBO EL ALMA.

¡LO MATO, LO MATO!
¡PETRA, HAZ CALLAR AL NIÑO!
JA, JA, JA,...
OREMOS HERMANOS POR EL ALMA...

VEINTIUNO DE OCTUBRE DE 1621.
¿POR QUÉ HACÉIS CUENTA DE LA FECHA?

HOY ES LA PRIMERA EJECUCIÓN EN ESTA NUEVA PLAZA QUE ESTRENAMOS EN MAYO DEL PASADO AÑO CON LA BEATIFICACIÓN DE ISIDRO, NUESTRO SANTO PATRÓN.
ÉSTE DE HOY ES UN ESTRENO MÁS MACABRO.
¡VIVE DIOS!
NO CREO QUE SEA DEL AGRADO DE SU PROTAGONISTA, DON RODRIGO CALDERÓN, QUE HA DE SER DEGOLLADO.

NO ES EL QUIEN DEBERÍA ESTAR AHÍ, SINO SU PATRÓN, EL DUQUE DE LERMA, EL MAYOR LADRÓN DE ESPAÑA.
DON RODRIGO LLEVA CON GALLARDÍA SU CONDENA, NO PARECE AMEDRENTADO.
SI VOY A PERDER LA VIDA, GALLARDÍA SIN MEDIDA.
JA, JA...

NO OS CONOCÍA AFICIÓN AL VERSO.
¿HABÉIS OÍDO LA ESTROFA DEL CONDE DE VILLAMEDIANA QUE HACE REFERENCIA A LOS FUEGOS ARTIFICIALES QUE SE HICIERON EN LA PLAZA EL MES DE MAYO PASADO CON MOTIVO DE LA PROCLAMACIÓN REAL DE DON FELIPE IV ? LA OÍ AYER EN EL MENTIDERO DE SAN FELIPE.

SEÑORES YO ME CONSUMO ¿HAY TAN GRANDE MARAVILLA? ¡QUÉ HAYA GASTADO LA VILLA TRES MIL DUCADOS EN HUMO!
JA, JA. ESE VILLAMEDIANA ES UN TRUHÁN QUE ACABARÁ MAL.

EN 1623 LLEGA A MADRID
EL PRÍNCIPE DE GALES CON LA INTENCIÓN
DE CASARSE CON LA INFANTA MARÍA,
HERMANA DEL REY.
LA CORTE QUISO DESLUMBRAR AL INGLÉS.
EL DESPLIEGUE DE FESTEJOS FUE
IMPRESIONANTE Y LA PLAZA SU ESCENARIO
PRIVILEGIADO. TOROS, JUEGOS DE CAÑAS,
COMBATES NAVALES SIMULADOS,
MÁSCARAS, LUMINARIAS, TEATRO,
PROCESIONES...

¡HOW EXCITING!

¿DE QUÉ HABLA EL INGLÉS?
ESTÁ FASCINADO.
BIEN, BIEN.
DICE QUE NUNCA VIO NADA IGUAL. QUE NO SABE SI HABRÁ ALGUNA MADRILEÑA FEA PUES SÓLO VE MUJERES ELEGANTES DE OJOS NEGROS Y GRÁCILES ANDARES.
BUKINGHAM, LOOK! SHE IS SO NICE!

EL CONDE DUQUE NO PIENSA PERMITIR QUE UNA INFANTA ESPAÑOLA CATÓLICA SE CASE CON UN HEREJE INGLÉS.
HABLANDO DE HEREJES. HAN COGIDO A AQUEL FALSO CURA, BENITO FERRER. LO TIENEN EN LOS CALABOZOS DE LA INQUISICIÓN EN TOLEDO.
¡YA ERES MÍO!

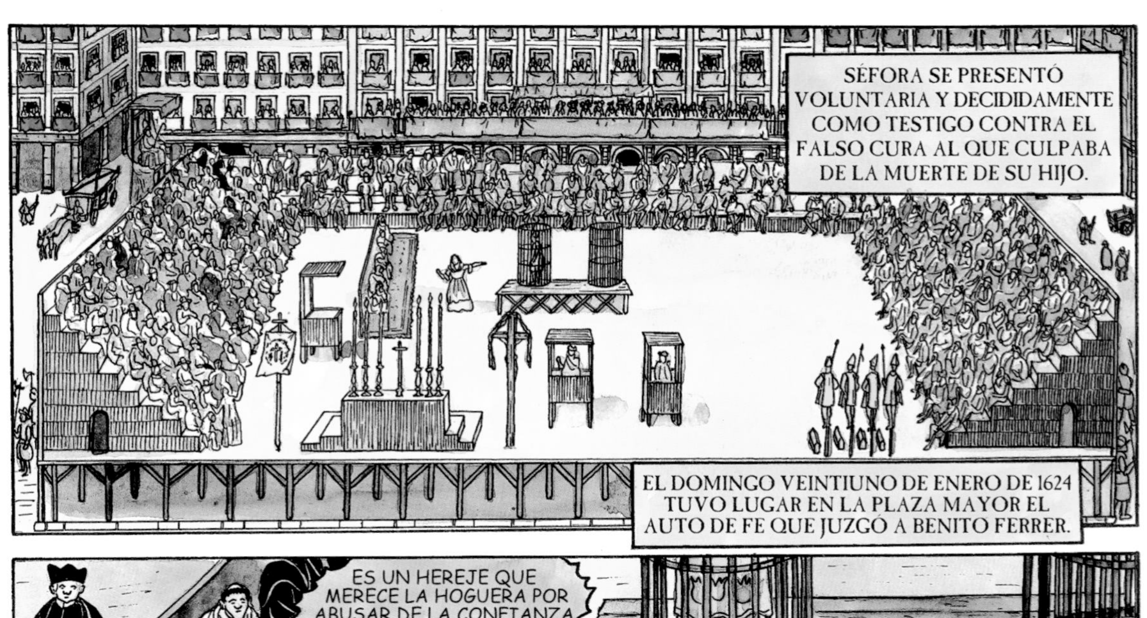
SÉFORA SE PRESENTÓ VOLUNTARIA Y DECIDIDAMENTE COMO TESTIGO CONTRA EL FALSO CURA AL QUE CULPABA DE LA MUERTE DE SU HIJO.
EL DOMINGO VEINTIUNO DE ENERO DE 1624 TUVO LUGAR EN LA PLAZA MAYOR EL AUTO DE FE QUE JUZGÓ A BENITO FERRER.

ES UN HEREJE QUE MERECE LA HOGUERA POR ABUSAR DE LA CONFIANZA DE LA GENTE HONRADA,...
...HACIENDO DINERO A COSTA DE LA FE DE LOS CREYENTES.

¡SÉFORA, ARPÍA!
BUSCA EN TUS PECADOS LA CAUSA DE TUS DESGRACIAS.

ACABADAS TODAS LAS LARGUÍSIMAS CEREMONIAS Y PROTOCOLOS. ESCUCHADAS TODAS LAS PRUEBAS, ALEGATOS Y DEFENSAS. EL SANTO TRIBUNAL DE LA INQUISICIÓN ENTREGÓ AL REO AL BRAZO CIVIL DE LA LEY PARA QUE LO QUEMASEN EN EL BRASERO SITUADO A LAS AFUERAS DE LA PUERTA DE ALCALÁ.

19

¡LA SANTA INQUISICIÓN DARÁ AL CURA BENITO CÁLIDA BENDICIÓN!
¡UN SAMBENITO A LA MEDIDA DE BENITO!

¡ARREPIÉNTETE BLASFEMO!
¡BRUJA MALDITA! ¡EL DÍA QUE SE EXTINGA TU EXTIRPE ME VERÁS ARREPENTIRME!
TÚ YA ERES CENIZA HEREJE Y MI HIJA VIVE EN LA PLAZA.

MALDIGO A ESA PLAZA QUE DISFRUTÓ CON MI DOLOR Y HUMILLACIÓN. LA MALDIGO PARA QUE ARDA POR LOS CUATRO COSTADOS DE IGUAL MODO QUE ARDO YO.

¡NUNCA BENITO! ¡ME OYES? ¡NUNCA!
MIENTRAS UNA HIJA DE MI SANGRE HOYE ESTA TIERRA TU MALDICIÓN SÓLO SERÁ EL CROAR DE UN SAPO.
20

AQUELLOS AÑOS DE LAS PRIMERAS DÉCADAS DEL SIGLO XVII FUERON LOS DE MAYOR ESPLENDOR DE LA PLAZA. SEGUÍA SIENDO UN MERCADO POPULAR, PERO ERA TAMBIÉN EL MAGNÍFICO TEATRO DONDE SE REPRESENTABAN TODAS LAS FIESTAS DE LA CORTE DE FELIPE IV.

MADRID ERA LA CAPITAL DEL MUNDO, O AL MENOS ASÍ LO SENTÍAN LOS MADRILEÑOS, Y LA PLAZA MAYOR SU PALPITANTE CORAZÓN. LOS BALCONES DE LAS CASAS ESTABAN SUJETOS A LA "SERVIDUMBRE DE ESPECTÁCULO". ERAN LOS PALCOS, LOCALIDADES QUE SE VENDÍAN COMO EN CUALQUIER TEATRO. LAS MÁS CARAS LAS DE LA PRIMERA PLANTA, ABARATÁNDOSE HACIA EL ÁTICO.

¿Y LOS INQUILINOS DE LOS PISOS?
GRAN PENSIÓN ES ÉSTA DE VIVIR EN LA PLAZA UN CABALLERO, PUES PAGA TODO EL AÑO SU DINERO Y EL DÍA QUE HA DE SER LA FIESTA EN ELLA LE ECHAN DE CASA Y QUÉDASE SIN VELLA.

¿Y SÉFORA?
MURIÓ JOVEN.

Y EN SU LECHO DE MUERTE LE HIZO JURAR A SU HIJA LIBORIA QUE NUNCA ABANDONARÍA LA PLAZA PARA QUE NO SE CUMPLIESE LA MALDICIÓN DEL FALSO CURA. ERA EL SIETE DE JULIO DE 1631. EL MARIDO Y LA HIJA SALIERON DE LA PLAZA PARA IR A ENTERRAR A SÉFORA, CUANDO VOLVIERON LA MALDICIÓN DE FERRER HABÍA EMPEZADO.
21

DURANTE TRES DÍAS CON SUS NOCHES EL INFIERNO SE ENSEÑOREÓ DE LA PLAZA MAYOR. ARDIÓ LA CASA DE LA CARNICERÍA Y TODO SU LADO DE LA PLAZA. LAS TEJAS DE PLOMO SE DERRETÍAN ABRASANDO A LOS TEMERARIOS QUE PRETENDÍAN APAGAR EL FUEGO. MURIERON TRECE PERSONAS Y CUANDO LOS RECURSOS HUMANOS FRACASARON SE RECURRIÓ A LA INTERCESIÓN DIVINA.

LA PLAZA SE LLENÓ DE ALTARES Y GENTE QUE REZABA DESESPERADA. SE TRAJERON EN PROCESIÓN AL SANTÍSIMO SACRAMENTO, A LA VIRGEN DE ATOCHA, DE LOS REMEDIOS, DE LA ALMUDENA, DE LA SOLEDAD Y EL CUERPO DEL YA SANTO, ISIDRO. LIBORIA ESTABA ATERRADA. HABÍA JURADO ANTE SU MADRE PENSANDO QUE CONCEDÍA UN CAPRICHO A UNA MORIBUNDA.

VIRGEN SANTÍSIMA, POR LA MEMORIA DE MI MADRE SÉFORA YO TE JURO QUE SI ACABAS CON ESTE INCENDIO NI YO NI MIS DESCENDIENTES JAMÁS PONDREMOS UN PIE FUERA DE LA PLAZA.

- A PARTIR DE ESE MOMENTO EL FUEGO AMAINÓ HASTA EXTINGUIRSE.

- NO PRETENDERÁ QUE ME CREA ESO.

CAFETER
BAR
TE LO CUENTO COMO ME LO CONTARON. LOS ESCÉPTICOS DICEN QUE EL FUEGO SE APAGÓ PORQUE YA SE HABÍA CONSUMIDO TODO LO QUE PODÍA ARDER.
22

LA PLAZA SE RECONSTRUYÓ RÁPIDAMENTE. SE QUITARON LAS TEJAS DE PLOMO Y SE PROHIBIERON LOS OBRADORES DE LOS OFICIOS QUE NECESITASEN HORNOS.
VOLVIERON LOS TOROS, LAS FIESTAS, LOS AUTOS DE FE.
¿SEGUÍAN QUEMANDO GENTE EN LA PLAZA?

NO HIJA. EL AUTO DE FE ERA UN JUICIO, LARGO E INTERMINABLE QUE PODÍA DURAR TODO UN DÍA. PERO AQUÍ NO SE QUEMABA A NADIE. ESO SE HACÍA EN LAS AFUERAS DE LA CIUDAD.
¿Y QUE HIZO LA HIJA DE SÉFORA?

LIBORIA SIGUIÓ EN LA PLAZA, POR SUPUESTO. TRABAJANDO COMO SU MADRE EN LOS PUESTOS DEL MERCADO. TUVO VARIOS HIJOS, PERO FUE A SU HIJA MAYOR, INOCENCIA, A LA QUE TRASPASÓ EL SECRETO.
Y NO DEBES DECÍRSELO A NADIE. DESPUÉS DEL INCENDIO DE 1631 YO LE QUISE CONTAR AL CURA MI PROMESA, PERO ÉL ME DIJO QUE ESO ERAN BRUJERÍAS, QUE EL INCENDIO SE APAGÓ POR INTERCESIÓN DE LA VIRGEN.
Y ASÍ FUE, PERO TAMBIÉN POR EL ESPÍRITU DE TU ABUELA,

Y ALGÚN DÍA TÚ TAMBIÉN DEBERÁS PROTEGER A LA PLAZA DE LA MALDICIÓN.
¡LIBORIA! ¡LIBORIA! ¡CORRE! TU HIJO MATÍAS SE HA CAÍDO DE UN TEJADO.
HA SIDO EN LA PUERTA DE TOLEDO.
23

PUDO MÁS EL INSTINTO MATERNAL DE LIBORIA QUE LA MALDICIÓN. LAS DOS MUJERES CORRIERON HACIA LA PUERTA DE TOLEDO. ERAN LAS OCHO DE LA TARDE DEL VEINTE DE AGOSTO DE 1672. AL POCO RATO SE DECLARÓ UN INCENDIO EN LA CASA DE LA PANADERÍA, EN LA MADERA DE LOS TABLADOS QUE SE USABAN PARA LOS TENDIDOS Y QUE SE ALMACENABAN EN SUS SÓTANOS.

SE PUDO HACER POCO Y DEL PRINCIPAL EDIFICIO DE LA PLAZA APENAS SE SALVARON LOS BAJOS. MURIERON VEINTICUATRO PERSONAS. LIBORIA NO PUDO SOPORTAR EL PESO DE TANTA DESGRACIA Y MURIÓ AQUELLA MISMA NOCHE DEJANDO A SU HIJA INOCENCIA ATADA DE POR VIDA A LA PLAZA. VOLVIERON LAS OBRAS, Y EN ESTA OCASIÓN FUE EL PINTOR Y ARQUITECTO JOSÉ JIMÉNEZ DONOSO QUIÉN RECONSTRUYÓ LA CASA DE LA PANADERÍA HACIÉNDOLA MUY PARECIDA A COMO ES HOY EN DÍA. FUE ÉL QUIÉN PUSO EL ESCUDO REAL SOBRE EL BALCÓN CENTRAL DE LOS REYES. ESCUDO LABRADO EN GÉNOVA POR EL ESCULTOR BARBIERI.

PLAZA MAYOR

CON LA REFORMA DE DONOSO LA PLAZA ADQUIRIÓ UNA FISONOMÍA QUE, MANTENDRÍA DURANTE MUCHO TIEMPO. INOCENCIA SIGUIÓ TRABAJANDO DE REGATONA EN EL MERCADO.

¿REGATONA?
DE VENDEDORA. ANTES LAS LLAMABAN ASÍ. SE CASÓ CON MANUEL, UN AGUADOR GALLEGO DE BETANZOS QUE ERA MUY AFICIONADO A LOS TOROS.
24

AQUÍ CORREMOS TOROS EN SAN ISIDRO, SAN JUAN Y SANTA ANA, QUE SON LAS CORRIDAS QUE ORGANIZA EL CONCEJO DE LA VILLA, LAS USUALES VAMOS.

Y LUEGO ESTÁN LAS CORRIDAS REALES, COMO LA DE MAÑANA, PARA FESTEJAR LAS BODAS DE NUESTRO REY CARLOS II CON DOÑA MARÍA LUISA DE ORLEANS,

COMO LOS SEÑORES YA SABRÁN.
PRECISAMENTE CON MOTIVO DE LAS BODAS REALES HEMOS VENIDO A MADRID.
PERO SOBRE TODO QUEREMOS VER LOS TOROS EN LA PLAZA MAYOR, QUE SON FAMA EN TODO EL REINO.

MERECIDAMENTE SEÑORA, OS LO ASEGURO. QUE DURAN UN DÍA ENTERO Y SON DIGNAS DE VERSE. LOS CABALLEROS QUE TOREAN VAN ACOMPAÑADOS DE HASTA CIEN LACAYOS CADA UNO.
¡QUE LUJO TAN DESMESURADO!

Y LE DIGO QUE LA PLAZA ACOGE A CINCUENTA MIL ESPECTADORES EN LOS TENDIDOS QUE LA RODEAN Y EN LOS "CLAROS", QUE SON LOS TENDIDOS ENTRE CALLES QUE CIERRAN LA PLAZA COMO PODÉIS VER.

Y BAJO EL BALCÓN REAL, ¿NO SE PONE TENDIDO?
NO SEÑOR, QUE ALLÍ SE PONE LA GUARDIA REAL HACIENDO BARRERA CON SUS CUERPOS Y SUS PICAS. YO LES RECOMIENDO LA CORRIDA DE LA TARDE QUE ES LA DE MAYOR PRESTANCIA Y EN LA QUE, SI SE FIJAN VERÁN A UN SERVIDOR DE VUESAS MERCEDES, PUES SALGO CON LA CUADRILLA DEL CONDE DE KONISMARCK.

25

EN LOS SIGLOS XVI Y XVII LOS PROTAGONISTAS DE LAS CORRIDAS ERAN LOS CABALLEROS, QUE BUSCABAN FAMA Y GLORIA CORRIENDO TOROS A CABALLO Y TRATANDO DE MATARLOS CON REJONES Y REJONCILLOS.

¡¡EL TORO HA DERRIBADO AL CONDE DE KONISMARCK!!

AHÍ VA MANUEL EL DE BETANZOS.
¡¡DEJADME SOLO!!

HACED LLEGAR AL MATADOR ESTA BOLSA QUE HA HECHO MÉRITOS PARA ELLA.

GRACIAS AL ORO DE LA BOLSA, INOCENCIA Y MANUEL PUDIERON ADQUIRIR EN PROPIEDAD UN PUESTO EN EL MERCADO DE LA PLAZA.

¡BUENA AVELLANA, BUENA NUEZ! ¡CABALLERO, UNA MEDIDA DE AVELLANAS!
A OCHO CUARTOS DE ARAGÓN, ¡QUE RICOS! DE ARAGÓN, MADURITOS.
VENGA PARROQUIANO, LLEVE USTED UNA LIBRA DE MELOCOTONES.

AGUA FRESQUITA Y LIMPIA. ¿QUIÉN LA BEBE?
¿QUIÉN LA VA A BEBER CON ESA CARA AGRIA QUE GASTAS? MÁS TE VALDRÍA VENDER LIMONES.

ESTÁ ASÍ DESDE QUE PROCLAMARON DEFINITIVAMENTE AL REY FELIPE V.
¿EL FRANCÉS? Y QUÉ, ¿QUE PREFERÍAS AL ARCHIDUQUE AUSTRIACO?

AL REY FELIPE NO LE GUSTAN LOS TOROS Y NO PERMITE QUE SE CELEBREN CORRIDAS EN LA PLAZA.
Y QUÉ MANUEL, ¿QUERÍAS RESCATAR A OTRO CONDE?. YA ANDAS VIEJO PARA ESOS ALARDES.

YA NO HAY FIESTAS COMO LAS DE ANTES. LOS NOBLES Y CABALLEROS ESTÁN AMANERADOS. SÓLO FALTA QUE NOS QUITEN EL MERCADO.
TÚ NO ERES AGUADOR, ERES AGUAFIESTAS.
27

¿ESTARÁS CONTENTA?
HOLA. ¿CÓMO TE HA IDO?

NO TE HAGAS LA INOCENTE, QUE LLEVO HORAS ESPERÁNDOTE. VENGA VÁMONOS.
¡DÉJAME, ME HACES DAÑO!

¡¡DÉJALA ANIMAL!!

¡¡BESTIA!! ¡¡VETE, QUE NO QUIERO VERTE!!

¡¡¡QUE TE VAYAS!!!
ESTOY BIEN, ESTOY BIEN.

¿DÓNDE ESTABA? AH, SÍ.

YA MEDIA EL SIGLO XVIII. EL AÑO DE 1766 CUANDO EL MOTÍN DE ESQUILACHE. REINANDO CARLOS III, EL PUEBLO DE MADRID SE SUBLEVÓ CONTRA LA ORDENANZA DEL MARQUÉS DE ESQUILACHE QUE PROHIBÍA LAS CAPAS LARGAS Y LOS SOMBREROS DE ALA ANCHA. SUPONGO QUE HABRÍA ALGO MÁS. EN LA PLAZA, TODAVÍA CORAZÓN DE MADRID SE JUNTARON MÁS DE CINCO MIL SUBLEVADOS A ESCUCHAR A UN CABECILLA QUE LES HABLÓ DESDE LOS BALCONES.

28

HABÍAN PASADO LOS AÑOS. Y LAS DESCENDIENTES DE SÉFORA MANTENÍAN SU PUESTO DE VERDURAS EN EL MERCADO. ERAN GENTE HUMILDE, PERO UN ORGULLO ÚNICO, FRUTO DE SU SECRETO, ALENTABA A LAS MUJERES DE LA FAMILIA. HASTA EL AÑO DE 1789.

EL AYUNTAMIENTO TRASLADA EL MERCADO. HAY QUE QUITAR LOS CAJONES Y LLEVARLOS A LA PLAZUELA DE HERRADORES Y A LA PLAZA DE LA CEBADA.
YO NO PUEDO IRME JUAN.

PERO FERNANDA, POR DIOS, NO ME VENDRÁS AHORA CON EL CUENTO DE LA MALDICIÓN. ESTO ES ALGO MUY SERIO. EL CAJÓN ES NUESTRA VIDA, TENDREMOS QUE IR DONDE VAYA EL MERCADO

¿QUÉ VAMOS A HACER SI NO, MADRE?

HACE SIGLOS QUE NO ARDE LA PLAZA. TODO ESO QUE CUENTAS FUERON CASUALIDADES.

CIENTO DIECIOCHO AÑOS JUAN. CIENTO DIECIOCHO AÑOS EN LOS QUE SIEMPRE Y EN TODO MOMENTO HA HABIDO UNA MUJER DE MI FAMILIA EN LA PLAZA.

SÍ, YA LO SÉ. Y TÚ NO SALES NUNCA. PERO ESTO ES DISTINTO FERNANDA, SI NO NOS VAMOS CON EL MERCADO, NOS MORIMOS DE HAMBRE.

30

EL INCENDIO DE 1790 FUE EL MAYOR Y MÁS DEVASTADOR DE TODOS LOS QUE SUFRIÓ LA PLAZA Y EL QUE MÁS PROFUNDAMENTE LA AFECTÓ.

¿Y QUÉ HIZO FERNANDA?

ABANDONÓ SU PUESTO DE VERDURAS Y A SU MARIDO Y SE VOLVIÓ A LA PLAZA CON SU HIJA. TRABAJABA LIMPIANDO LAS CASAS Y COMERCIOS DE LA PLAZA. CONOCIÓ A EDUARDO DEL CASTILLO, UN ESCRIBANO DE PROVINCIAS QUE ESTABA ESCRIBIENDO UNA CRÓNICA SOBRE LA PLAZA MAYOR. EDUARDO Y FERNANDA SIMPATIZARON. ÉL LA ENSEÑÓ A LEER Y ELLA LE CONTÓ LA HISTORIA DE SÉFORA Y DE LA MALDICIÓN.

FERNANDA, ME VOY DE MADRID. VUELVO A LEÓN. AQUÍ NO ME VAN BIEN LAS COSAS.
LE ECHARÉ DE MENOS SEÑORITO.

TOMA. SI TIENES QUE SER LA GUARDIANA DE LA PLAZA SERÁ NECESARIO QUE CONOZCAS SU HISTORIA Y SE LA ENSEÑES A TU HIJA. A MÍ REALMENTE NO ME SIRVE. LA ESCRIBÍ POR PASATIEMPO.

EN ESE LIBRO, ÉSTE MISMO, HEMOS APRENDIDO A LEER LAS MUJERES DE MI FAMILIA. HEMOS MAMADO LA HISTORIA DE LA PLAZA DESDE NIÑAS.

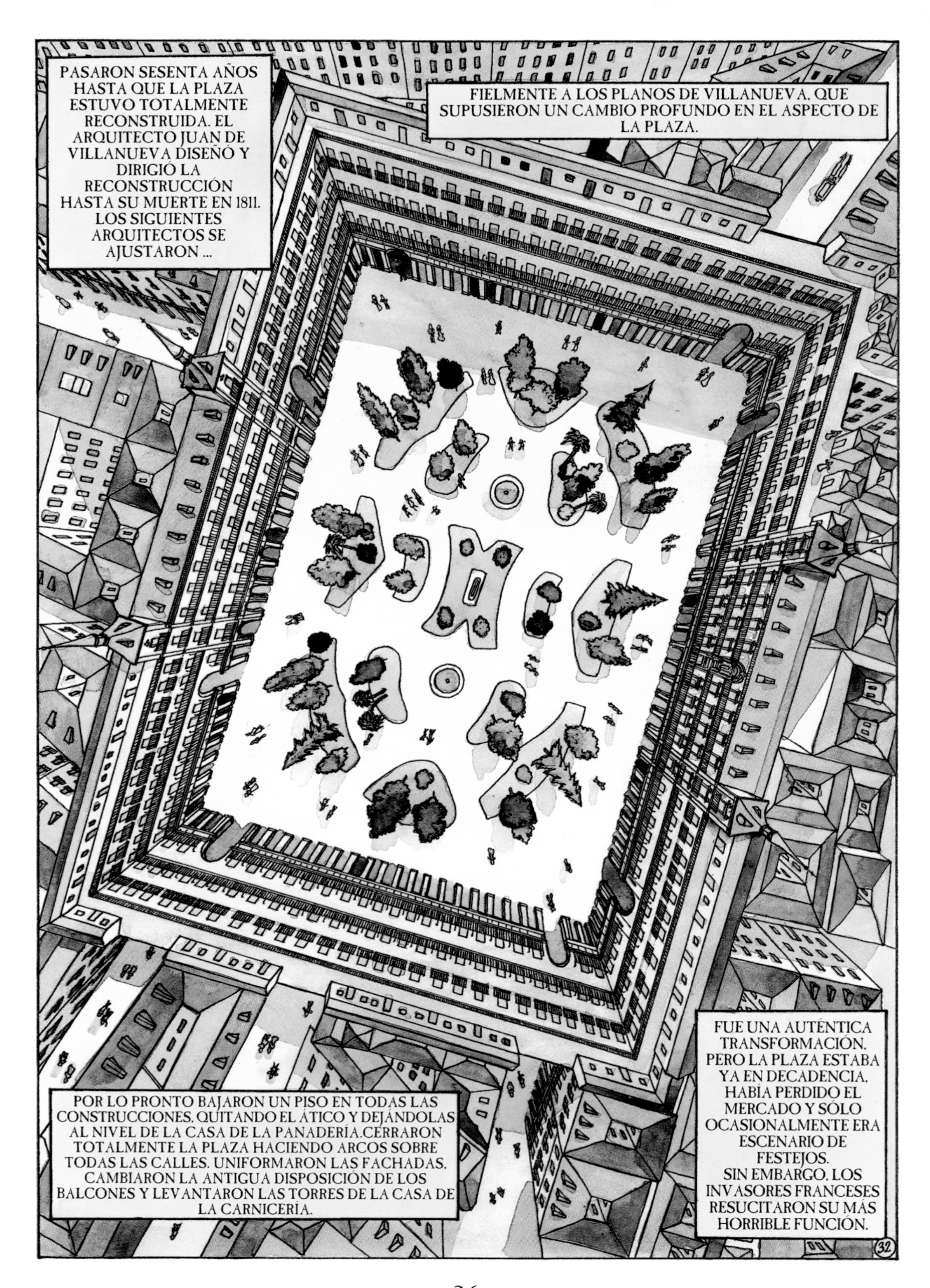
PASARON SESENTA AÑOS HASTA QUE LA PLAZA ESTUVO TOTALMENTE RECONSTRUIDA. EL ARQUITECTO JUAN DE VILLANUEVA DISEÑÓ Y DIRIGIÓ LA RECONSTRUCCIÓN HASTA SU MUERTE EN 1811. LOS SIGUIENTES ARQUITECTOS SE AJUSTARON ...
FIELMENTE A LOS PLANOS DE VILLANUEVA, QUE SUPUSIERON UN CAMBIO PROFUNDO EN EL ASPECTO DE LA PLAZA.
POR LO PRONTO BAJARON UN PISO EN TODAS LAS CONSTRUCCIONES, QUITANDO EL ÁTICO Y DEJÁNDOLAS AL NIVEL DE LA CASA DE LA PANADERÍA.CERRARON TOTALMENTE LA PLAZA HACIENDO ARCOS SOBRE TODAS LAS CALLES. UNIFORMARON LAS FACHADAS, CAMBIARON LA ANTIGUA DISPOSICIÓN DE LOS BALCONES Y LEVANTARON LAS TORRES DE LA CASA DE LA CARNICERÍA.
FUE UNA AUTÉNTICA TRANSFORMACIÓN, PERO LA PLAZA ESTABA YA EN DECADENCIA, HABÍA PERDIDO EL MERCADO Y SÓLO OCASIONALMENTE ERA ESCENARIO DE FESTEJOS.
SIN EMBARGO, LOS INVASORES FRANCESES RESUCITARON SU MÁS HORRIBLE FUNCIÓN.
32

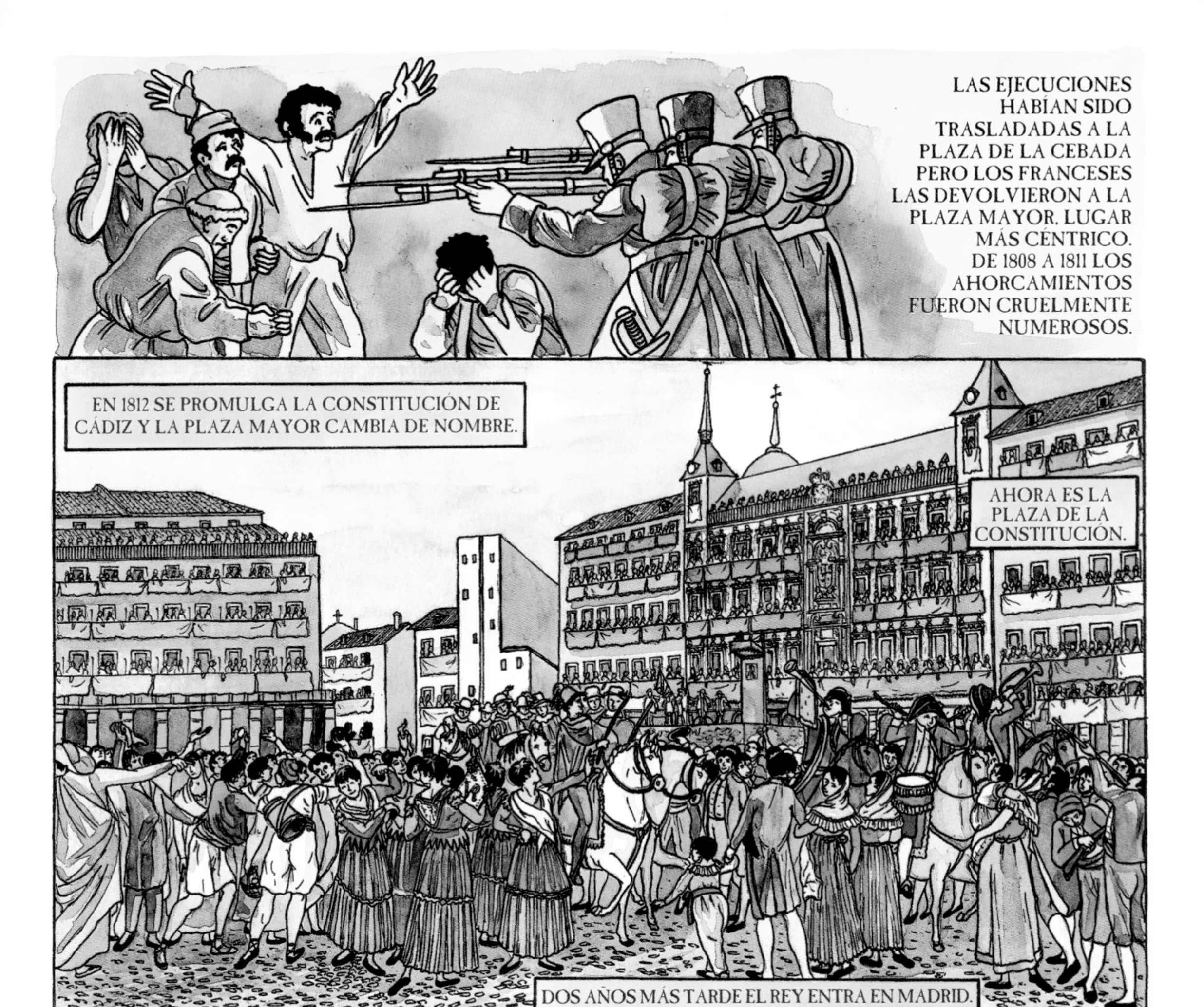
LAS EJECUCIONES HABÍAN SIDO TRASLADADAS A LA PLAZA DE LA CEBADA PERO LOS FRANCESES LAS DEVOLVIERON A LA PLAZA MAYOR, LUGAR MÁS CÉNTRICO. DE 1808 A 1811 LOS AHORCAMIENTOS FUERON CRUELMENTE NUMEROSOS.
EN 1812 SE PROMULGA LA CONSTITUCIÓN DE CÁDIZ Y LA PLAZA MAYOR CAMBIA DE NOMBRE.
AHORA ES LA PLAZA DE LA CONSTITUCIÓN.
DOS AÑOS MÁS TARDE EL REY ENTRA EN MADRID.

AYER UNOS FANÁTICOS ARRANCARON LA PLACA CON EL NOMBRE DE PLAZA DE LA CONSTITUCIÓN.
AHORA SE LLAMA PLAZA REAL. HA LLEGADO SU MAJESTAD FERNANDO VII.

CAMBIANDO EL NOMBRE A LA PLAZA SEÑERA DE MADRID ESPERAN CAMBIAR LAS INCLINACIONES DEL PUEBLO. ¡ABSURDO!
PLAZA MAYOR ES UN BUEN NOMBRE, PRÁCTICO, DESCRIPTIVO, ACOGEDOR Y CARENTE DE OTRAS CONNOTACIONES.

BARRUNTO QUE LA PLAZA HA DE CAMBIAR MÁS VECES DE NOMBRE. LOS VIENTOS DE LA POLÍTICA SOPLAN TURBULENTOS.
HURACANADOS DIRÍA YO.
33

TAN HURACANADOS QUE EN 1822 LA PLAZA, QUE SE LLAMA OTRA VEZ DE LA CONSTITUCIÓN, SE CONVIERTE EN UN CAMPO DE BATALLA.
¡BAUM!

¡MUJER! ¿ESTÁS LOCA? ¡AGÁCHATE!
CRAK!!

QUIERO QUE ME EXPLIQUEN QUÉ ESTÁ PASANDO.
MUY SENCILLO. NOSOTROS, LA MILICIA NACIONAL, DEFENDEMOS LA CONSTITUCIÓN FRENTE A LA GUARDIA REAL QUE QUIERE QUE VOLVAMOS AL ABSOLUTISMO DE FERNANDO VII. ¿ESTA CLARO?

SÍ, MUY CLARO.

BUENO PUES LÁRGATE SINO QUIERES MORIR.
NO, YO NO PUEDO IRME. SI ME FUESE LA PLAZA ARDERÍA.
PERO ¿QUÉ IDIOTECES DICES?
DÉJALA MARCIAL. ES UNA LOCA QUE VIVE EN LA PLAZA. SIEMPRE PREGUNTA Y LO ANOTA TODO EN UN LIBRO, ES INOFENSIVA.

POCO PINTA UNA INOFENSIVA EN UNA OFENSIVA.

LA MILICIA TRIUNFÓ Y AQUELLA VICTORIA CAMBIÓ LOS NOMBRES DE LA CALLE DE LA AMARGURA Y DEL CALLEJÓN DEL INFIERNO, QUE PASARON A LLAMARSE CALLE DEL SIETE DE JULIO Y DEL ARCO DEL TRIUNFO.

(34)

MI FAMILIA ERA MISERABLE, PERO NUESTRA MISIÓN GLORIOSA O INEVITABLE O APLASTANTE O... ¡BAH! ES IGUAL.
A FALTA DE OTRA COSA MEJOR EL LIBRO DEL ESCRIBANO ENCARNÓ EL ORGULLO DE MI LINAJE.

LLEVA TODA LA VIDA CONMIGO, AUNQUE YO NO HE ENSEÑADO A NADIE A LEER EN ÉL. EN FIN....

EL SIGLO XIX FUE REALMENTE AGITADO Y LA AGITACIÓN SE DEJÓ SENTIR EN LA PLAZA QUE CAMBIÓ HASTA SEIS VECES DE NOMBRE Y QUE VIO MÁS ESCARAMUZAS MILITARES. PERO LOS MADRILEÑOS YA NO FOCALIZABAN SU ATENCIÓN AQUÍ.

DE TRANVIAS
EMPRESA
DE MADRID

LA PUERTA DEL SOL SE CONVIRTIÓ EN EL CENTRO DE LA ANIMACIÓN SOCIAL Y ECONÓMICA EN PERJUICIO DE LA VETUSTA PLAZA.

YA QUEDA POCO. EN 1837 NOS DAN EL MERCADO DE NAVIDAD, QUE A MÍ SIEMPRE ME SONÓ A PREMIO DE CONSOLACIÓN.

Y EN 1846 SE CELEBRARON LAS ÚLTIMAS CORRIDAS DE TOROS CON MOTIVO DE OTRAS BODAS REALES. PARA COMPLETAR LA DECADENCIA YA SOLO FALTABA QUE LLEGASE MESONERO ROMANOS Y SU ESTATUA.

YA LA TENEMOS AQUÍ POR GRACIOSA DONACIÓN DE SU MAJESTAD ISABEL II, LA ESTATUA DE FELIPE III, FUNDADOR DE LA PLAZA. ¿QUÉ MEJOR SITIO PARA ELLA?

ES UNA DECISIÓN CUESTIONABLE SR. MESONERO. LA ESTATUA CON SU PEDESTAL ELIMINA TODA POSIBILIDAD DE REALIZAR GRANDES FIESTAS EN LA PLAZA.

VAMOS, VAMOS. LOS TIEMPOS DEL ROMANTICISMO CABALLERESCO DE LA PLAZA HAN PASADO YA. LA PUERTA DEL SOL HA TOMADO CLARAMENTE EL RELEVO EN EL INTERÉS DE LOS MADRILEÑOS. NUESTRA VIEJA PLAZA MERECE UN RETIRO HONORABLE AL AMPARO DE SU FUNDADOR, ADORNADA CON JARDINES QUE LE DEN LA PAZ QUE NECESITA.
UNA PENA.

EL GLORIOSO ESCENARIO, POPULAR E INTENSO CONVERTIDO EN UN AMABLE PASEO DOMINICAL.
MIRANDA
36

LA PLAZA JUBILADA. ASÍ LA LLAMABA MI ABUELO Y A MI ABUELA LEONCIA NO LA GUSTABA. MI ABUELO SE LLAMABA PACO Y HABÍA SIDO ACTOR EN SU JUVENTUD. CONVENCIÓ A LEONCIA PARA QUE MONTARAN UN ESPECTÁCULO DE ADIVINACIÓN EN LA PLAZA DE LA QUE MI ABUELA NO PODÍA SALIR.
LEONCIA, TÚ TIENES QUE ENTENDER DE ADIVINANZAS.
YO SÓLO ENTIENDO DE LA HISTORIA DE LA PLAZA QUE NO SÉ SI SE LLAMA MAYOR, REAL, DE LA REPÚBLICA O DE LA CONSTITUCIÓN.
ME REFIERO A LOS MISTERIOS Y A LOS ESPÍRITUS. CON ESA HISTORIA DE TU ANTEPASADA BRUJA...
¡¡QUE NO ERA BRUJA!!
YO ME ENTIENDO. A VER ¿CÓMO SE LLAMA ESE JARDINERO?
EVARISTO.
LO VES, LO VES. ERES ADIVINA.
PERO PACO, SI ES MI PADRE.
ESO EL PÚBLICO NO LO SABE.
37

EN EL AÑO 1901 NACIÓ MI MADRE FELISA. MIS ABUELOS MALVIVÍAN CON LO QUE SACABAN DE SUS TRAPACERÍAS CHARLATANAS EN LA PLAZA. PERO LEONCIA NO DESCUIDÓ LA EDUCACIÓN DE SU HIJA, ENSEÑÁNDOLA A LEER Y ESCRIBIR EN EL LIBRO DEL ESCRIBANO.
FELISA CRECIÓ EN LA PLAZA, Y AQUÍ CONOCIÓ A MI PADRE, LAUREANO. UN VIOLINISTA CALLEJERO DE ALBACETE AL QUE CON EL TIEMPO LA PLAZA SE LE ANTOJÓ UNA INMENSA CÁRCEL.

NO PUEDO MÁS PEPE. QUE NO HAY QUIÉN LA CONVENZA. QUE NO SALE DE LA PLAZA Y NO HAY MÁS QUE HABLAR. CON LA CHORRADA ESA DE LA MALDICIÓN. VAMOS. QUE YO SOY HOMBRE DE MUNDO PEPE. QUE ME HE RECORRIDO MEDIA ESPAÑA CON MI VIOLÍN.

VENGA LAUREANO, MACHO. SIEMPRE PUEDES SALIR Y VOLVER.

SABES LO QUE TE DIGO. QUE ME VOY. QUE SE QUEDE ESA LOCA CON SU LIBRO Y SU PLAZA.
¿Y TU HIJA SÉFORA?

FORITA, SÍ. MENUDA FIERA. NO VEAS COMO TOCA EL VIOLÍN. SE LO DEJO, SÍ PEPE. YO ME VOY Y TÚ LE DAS EL VIOLÍN A SEFORITA Y LE CUENTAS QUE SU PADRE NO ERA UN MAL HOMBRE. ¿VALE MACHO?

MENUDA PAPELETA.

YA NO RECUERDO COMO ERA MI PADRE. HACE TANTO TIEMPO. YO TOCABA SU VIOLÍN EN LA PLAZA Y NO SE ME DABA MAL.
AL MORIR MI MADRE, LA TRISTEZA SE AMORTIGUÓ POR LA RESPONSABILIDAD ORGULLOSA QUE CAYÓ SOBRE MIS ESPALDAS, PERO ESA RESPONSABILIDAD SE CONVIRTIÓ EN UNA INMENSA LOSA CUANDO SUPE QUE NO PODÍA TENER HIJOS.
ENTONCES EMPECÉ A BEBER

FUE EN LOS AÑOS QUE HICIERON EL APARCAMIENTO SUBTERRÁNEO. CUANTO MÁS EXCAVABAN LA TIERRA MÁS PENETRABA EL DOLOR EN MIS ENTRAÑAS.
EN LOS ÚLTIMOS AÑOS, EL AYUNTAMIENTO SE HA ESFORZADO EN TRAER LA ALEGRÍA DE VUELTA A LA PLAZA. LAS FIESTAS DE SAN ISIDRO, LOS REYES, LOS MERCADOS DE NAVIDAD Y DE SELLOS, LOS CARNAVALES Y LAS FIESTAS QUE HAN HECHO POR LO DEL AÑO 2000

VINO DE MESA

ESTÁ BIEN SÍ, PERO NO SERVIRÁ DE NADA PORQUE CUANDO YO MUERA TODA LA PLAZA DESAPARECERÁ EN LLAMAS.
39

ESTHER, SEÑORA, PERDÓNEME.
ESTABA NERVIOSO.

¡BENITO! ¡ESO ES! ¡CLARO!

SÉFORA, LE PRESENTO A MI NOVIO BENITO FERRER QUE HA VENIDO A DISCULPARSE.
¿CÓMO?

CUANDO OÍ EL NOMBRE DEL FALSO CURA ME SORPRENDIÓ. UNA CASUALIDAD PENSÉ. PERO... HOY ES VEINTIUNO DE ENERO.

¡EL ANIVERSARIO DE LA MUERTE DE FERRER!

SON DEMASIADAS CASUALIDADES. LA ESTIRPE DE SU ANTEPASADA SE EXTINGUE CON USTED Y BENITO FERRER HA UTILIZADO A MI NOVIO PARA ARREPENTIRSE ANTE SÉFORA. LA MALDICIÓN HA CONCLUIDO.

NO ES VERDAD, NO ES VERDAD
¡NO!
¡SÍ, ES CIERTO!
DON ...FATO

LA CASUALIDAD NO EXISTE
SOY LIBRE
¡LIBRE!

¿QUÉ HA PASADO? NO ENTIENDO NADA

DÉJALO. POR UNA VEZ HAS HECHO ALGO BIEN.
ANDA VÁMONOS QUE HACE FRÍO.
FIN

Gol y Eduardo- abril 2000

Cronología
(Extractada del libro *La Plaza Mayor* de José del Corral)

Comienzos del siglo XV. En esta época surge extramuros de la ciudad, entre la Puerta de Guadalajara, el arrabal de Santa Cruz y la Cava de San Miguel, *la Plaza del Arrabal*.

1420 Se edifica el lado oeste de la Plaza, el de la Cava de San Miguel.

1454 Se edifica la parte de la Plaza que da al arrabal de Santa Cruz.

1463 Enrique IV ordena el traslado del mercado de la Villa a la Plaza del Arrabal.

1480 El Concejo de la Villa levanta soportales en la Plaza.

1494 Se regula el comercio según las disposiciones de los R.R.C.C.

1532 *La Plaza del Arrabal* ha ganado importancia y recibe ya el nombre de *Plaza Mayor*.

1561 Madrid se convierte en capital de los reinos de España.

1585 Monopolio de la venta del vino al por mayor, en la Plaza.

1590 Comienzan las obras de la *Plaza de la Panadería*.

1608 Se obliga a los propietarios a labrar sus casas según el modelo de la *Casa de la Panadería*.

1617 El arquitecto *Juan Gómez de Mora* comienza con las obras de la nueva Plaza.

1619 Acaban en marzo las principales obras de construcción.

1620 El quince de mayo se estrenó oficialmente la Plaza con la procesión y festejos por la beatificación de Isidro, patrón de la Villa.

1621 Fiestas por la proclamación del rey Felipe IV. El veintisiete de junio se celebró el primer auto de fe de la nueva Plaza y el veintiuno de octubre se ejecutó a don Rodrigo Calderón.

1622 Grandes fiestas con motivo de la canonización de los españoles San Isidro, San Ignacio de Loyola, San Francisco Javier y Santa Teresa de Jesús, y el italiano San Felipe Neri.

1623 Despliegue excepcional de festejos para agasajar al príncipe de Gales, don Carlos.

1624 Se celebra el veintiuno de enero de 1624 el auto de fe que condena al falso cura *Benito Ferrer* a la hoguera.

1629 Toros y fiestas con motivo de las bodas de la infanta María con el rey de Hungría.

1631 El siete de julio comienza el *primer incendio* de la Plaza, que ardió durante tres días.

1632 Auto de fe con treinta y tres penitenciados.

1644 Este año se ordenó que las "regatonas" (vendedoras) de los cajones de la Plaza fueran casadas o de más de cuarenta años de edad so pena de sufrir cien azotes.

1665 Proclamación real de Carlos II.

1672 En el mes de agosto tiene lugar el *segundo incendio* de la Plaza. Ardió la *Casa de la Panadería*.

1673 Se reconstruye la *Casa de la Panadería*.

1680 Este año hay más toros y se celebra un auto de fe con más de ochenta reos.

1700 El veinticuatro de noviembre se proclama rey en la Plaza a Felipe V, primer monarca Borbón. Antes de acabar el año hay otra proclamación real, la del archiduque austriaco, pretendiente que no llegó a ser rey.

1702 Por primera vez desde su fundación no hay fiestas en la Plaza. Al monarca Borbón no le gustan los toros.

1722 Vuelven las fiestas a la Plaza, pero no los toros, obstinadamente prohibidas por el rey. Continúan las ejecuciones rutinarias de delicuentes.

1745 Se crea *la Real Academia de Bellas Artes de San Fernando* con sede temporal en la *Casa de la Panadería*. Estuvo ahí hasta 1774.

1746 Fiestas por la proclamación real de Fernando VI.

1759 Se corren toros en la Plaza con motivo de la subida al trono de Carlos III.

1766 *Motín de Esquilache*. Desde el balcón de la *Casa de la Panadería* se comunican al pueblo las promesas del rey, realizadas a la comisión que le había visitado en palacio.

1785 Carlos III siguiendo la tradición familiar reitera la prohibición de las corridas de toros.

1789 Fiestas con toros por la proclamación del rey Carlos IV. Este año se manda *retirar* de la Plaza *el mercado diario*.

1790 *Tercer y devastador incendio* de la Plaza que comenzó en la noche del dieciséis de agosto.

Sólo pudo apagarse realizando derribos controlados bajo la dirección de Juan de Villanueva.

1803 Toros para festejar el casamiento del príncipe Fernando. Futro Fernando VII.

1804 Conato de fuego, el veintiséis de noviembre, que fue rapidamente sofocado sin resultados graves.

1808 Los invasores franceses vuelven a traer a la Plaza los patíbulos donde ejecutan publicamente a los españoles rebeldes.

1812 El quince de agosto se proclama la Constitución en Cádiz y la *Plaza* pasa a llamarse *de la Constitución.*

1814 Fernando VII llega a Madrid. *La Plaza* toma el nombre de *Real.*

1820 La Plaza vuelve a llamarse *de la Constitución* al iniciarse el trienio liberal.

1822 *El siete de julio* hay un enfretamiento armado entre la Milicia Nacional y la Guardia Real.

1823 Cambia de nuevo el nombre de *la Plaza.* Al acabar el período constitucional vuelve a llamarse *Real.*

1833 Se proclama en la Plaza a la reina Isabel II.

1835 Vuelve a llamarse *Plaza de la Constitución.*

1837 Primera edición del *Mercado Navideño.*

1838 Se cubre con pizarra el tejado de la Casa de la Panadería.

1846 Últimas corridas de toros con motivo de la doble boda de la reina Isabel II y su hermana con don Francisco de Asís y el duque de Montepensier.

1848 El siete de marzo hay un nuevo combate en la Plaza entre el sublevado Regimiento de España y la guarnición de Madrid. El veintitrés de marzo se coloca la estatua de Felipe III en el centro de la Plaza.

1854 Se acaba totalmente la reconstrucción de la Plaza iniciada tras el incendio de 1790. El diecisiete de julio comienzan los combates que abren los tres días de revolución conocidos como *"la Vicalvarada".*

1865 Comienza a ajardinarse la Plaza.

1866 Se instalan dos fuentes gemelas a los lados de la estatua.

1867 Se enriquece el jardín central. El padrón de ese año da quinientos habitantes en la Plaza, la mayoría comerciantes acomodados.

1868 La revolución conocida como "La Gloriosa" pone fin al reinado de Isabel II.

1873 La Plaza cambia de nombre otra vez y pasa a llamarse de la República. Se ordena la retirada de la estatua de Felipe III. Meses más tarde toma el nombre de *Plaza de la República Federal.*

1874 Se vuelve a llamar *Plaza de la Constitución* y se restituye la estatua.

1877 Se inaugura la línea Plaza Mayor-Carabancheles, con carruajes tirados por mulas.

1880 Se realizan obras en la Casa de la Panadería.

1903 Se electrifica la línea de tranvías. En la Casa de la Panadería están la Imprenta Municipal y el Archivo de la Villa y Biblioteca.

1924 Se inaugura la línea de autobuses Plaza Mayor-Cuatro Vientos.

1927 Comienza, aunque timidamente el *mercado filatélico* en la Plaza.

1929 Hay dos líneas de tranvía con cabecera en la Plaza. Una a los Carabancheles y otra a Leganés.

1931 Se proclama la Segunda República y, entre otras cosas, se derriba la estatua de Felipe III.

1935 Se retiran los jardines de la Plaza dejando la estatua y las dos fuentes.

1940 La Plaza se transforma en terminal de tranvías. La estatua es restaurada y colocada de nuevo en la Plaza.

1949 Por primera vez se da en la Plaza el pregón de las fiestas de San Isidro.

1953 Se quitan los tranvías de la Plaza.

1961 Se terminan las obras de restauración de la Plaza realizadas con motivo del centenario de la capitalidad.

1967 Acaban las obras de construcción del aparcamiento subterráneo y del túnel.

1980 Primeros carnavales organizados por el Ayuntamiento.

A lo largo de los años siguientes siguen celebrándose las fiestas de San Isidro y los carnavales en la Plaza Mayor, junto con el mercado navideño, las fiestas de Navidad y algunos otros eventos puntuales.

Son momentos en que la Plaza recupera su animación, como pálido reflejo de su antiguo esplendor. El resto de los días del año es más un lugar de paso y monumento arquitectónico turístico, digno de ser visitado e imprescindible de pasear si se quiere conocer a la Villa de Madrid.

Agradecimientos

Para hacer un trabajo como éste hay que beber de muchas fuentes. La documentación que he manejado ha sido abundante, pero entre toda ella querría destacar tres excelentes estudios.

La Plaza Mayor de Antonio Bonet Correa, ***La Plaza Mayor*** de José del Corral y ***Breve historia de la Plaza Mayor*** de Mª Isabel Gea Ortigas. Mi sincero agradecimiento a los tres autores.

El tema de la documentación gráfica es harina de otro costal. Sin ser tan abundante como la literaria ha sido suficiente. Algunos grabados antiguos han sido reproducidos con bastante exactitud, únicamente adaptados a nuestra interpretación gráfica. Las lectoras y lectores familiarizados con la bibliografía madrileña los reconocerán con facilidad. Vaya aquí también mi agradecimiento para aquellos dibujantes y pintores que reprodujeron el pasado de Madrid y su Plaza Mayor.

Esto por lo que respecta a los apoyos documentales. Ahora debo mencionar a Miguel Tébar, esforzado editor que confió en el proyecto, y a la Fundación Amigos de Madrid que lo apoyó financieramente.

Gracias también a María Elena Diardes y a Belén Sánchez Bayo por prestarme sus físicos y actitudes para encarnar a Séfora y a Esther.

Pedro López Carcelén hizo los dibujos a lápiz (tras ardua documentación) de la Plaza Mayor en las páginas seis, catorce y treinta y dos. Gracias amigo.

Para terminar quiero agradecer a Eduardo de la Torre, amigo y colaborador, su entusiasmo por esta historia y su paciente compañía en el largo encierro necesario para dibujar estas páginas.

Sólo me resta recordar a aquellas madrileñas y madrileños del pasado que con su vivir forjaron la historia de Madrid y su Plaza Mayor. Sin ellos sí que habría sido imposible la realización de este libro

Miguel Gómez Andrea "Gol"

Guión, dibujo y Color: Miguel GómEz Andrea "Gol"
Dibujo De escenarios: EduArdo de la Torre
PerspectiVas de la Plaza MayOr: Pedro LóPez Carcelén

PoRtada y producción: EqUipo de diseño de Ediciones La LibRería

FotoMecánica: Logical PAge
ImpreSión: GráFicas Gaez
EnCuadernación: AbEdul

Mayor, 80
28013 - Madrid
Tfno: 91 541 71 70
Fax: 91 559 42 49
E-mail: lalibreria@callejerodemadrid.com

Esta obra ha contado con el patrocinio de la
Fundación Amigos de Madrid

I.S.B.N: 84-89411-65-4
Depósito Legal: M-18.506-2000

Impreso en España/Printed in Spain